Y CLEFYD

PÊL-DROED

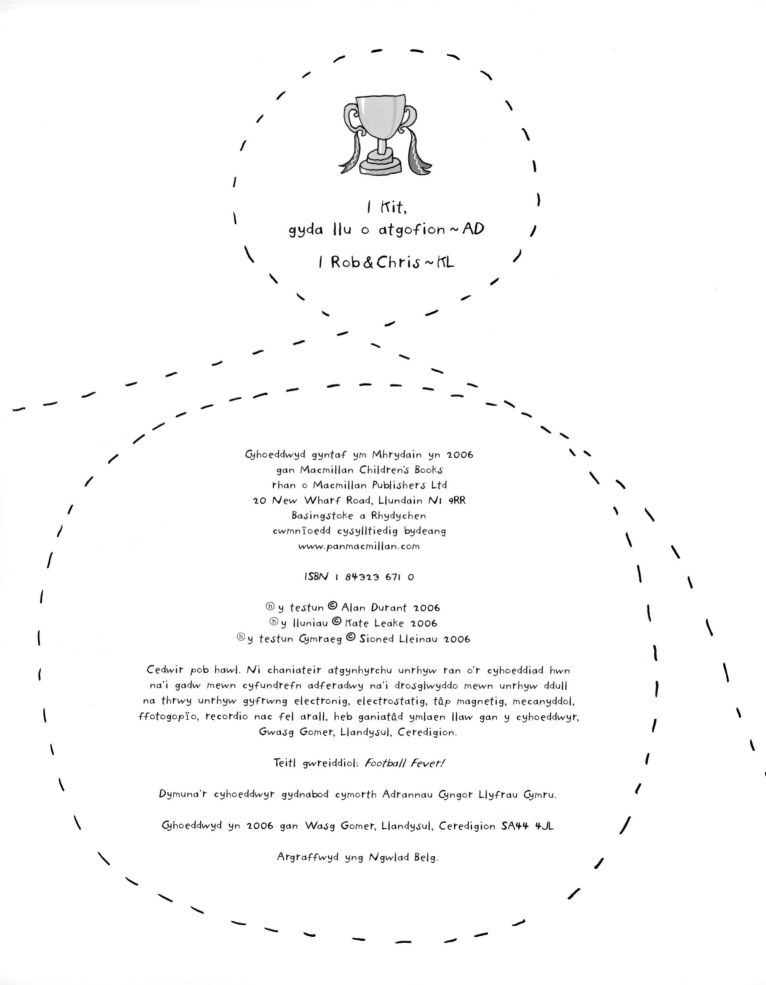

I Kit,
gyda llu o atgofion ~ AD

I Rob & Chris ~ KL

Cyhoeddwyd gyntaf ym Mhrydain yn 2006
gan Macmillan Children's Books
rhan o Macmillan Publishers Ltd
20 New Wharf Road, Llundain N1 9RR
Basingstoke a Rhydychen
cwmnïoedd cysylltiedig bydeang
www.panmacmillan.com

ISBN 1 84323 671 0

ⓗ y testun © Alan Durant 2006
ⓗ y lluniau © Kate Leake 2006
ⓗ y testun Cymraeg © Sioned Lleinau 2006

Teitl gwreiddiol: *Football Fever!*

Dymuna'r cyhoeddwyr gydnabod cymorth Adrannau Cyngor Llyfrau Cymru.

Cyhoeddwyd yn 2006 gan Wasg Gomer, Llandysul, Ceredigion SA44 4JL

Argraffwyd yng Ngwlad Belg.

Y CLEFYD PÊL-DROED

gan
ALAN DURANT

lluniau
KATE LEAKE

addasiad
SIONED LLEINAU

Gomer

Bachgen digon cyffredin oedd fy mrawd bach.
Gwnâi bethau cyffredin fel pob brawd
bach arall.

Hoffai wisgo fel
môr-leidr.

Byddai wrth ei fodd yn ymlacio o flaen y teledu.

Roedd yn hoff o chwarae gemau –
ond nid o golli!

Ond un diwrnod,
fe ddaliodd . . .

DROED!

Rwy'n siŵr mai Dad oedd ar fai. Mae Mam yn dweud
fod y clefyd pêl-droed ar hwnnw ers yn ifanc iawn.
Does dim gwella arno chwaith, meddai hi.

Ond dyw fy mrawd bach ddim
yn edrych yn sâl o gwbwl.
Does ganddo ddim smotiau
na brech.

Ond mae e'n WYLLT!

Mae'n cicio pethau drwy'r dydd.
Mae'n gwneud peli o sanau ac yn eu
cicio dros y lle.

Mae'n cicio cerrig ar hyd y palmant.

Mae'n cicio peli yn yr ardd.

Weithiau mae'n fy nghicio inne - drwy ddamwain. Dyna sut mae pethau gyda'r clefyd pêl-droed.

'Siôn! Rho'r gorau
iddi wir!' meddai
Mam.

'Ond all e ddim,' meddwn i.
'Mae'n diodde o'r clefyd
pêl-droed.'

O'r diwedd, dyma Dad yn cael syniad.
'Beth am i ni fynd â ti i'r clwb pêl-droed
er mwyn i ti gael chwarae pêl-droed
go iawn.'

Pêl-droed

am

byth

Felly, fore dydd Sadwrn diwethaf, aeth Dad â 'mrawd bach i'r clwb pêl-droed. Es i gyda nhw am dro. 'Fe wnaiff tipyn o awyr iach les i ti,' meddai Dad.

PÊL-DROED
DYDD SUL

Roedd criw o blant yno - rhai yr un oed â 'mrawd bach, ac eraill yn hŷn, fel fi.

Dyna ddechrau ar yr ymarfer.

Dyma nhw'n pasio ac ergydio a chicio'r bêl rhwng y rhwystrau.

Roedd fy mrawd bach braidd yn lletchwith. Doedd e ddim yn dda iawn am osgoi'r rhwystrau.

Wedyn fe gafodd y plant gyfle
i chwarae gêm go iawn.

Roedd fy mrawd
bach yn llawn
cyffro am ei
fod yn y tîm
coch.

Wedyn, dyma
fy mrawd bach
yn dechrau
cicio'r bêl . . .

ond nid
i'r cyfeiriad
cywir bob tro.

Cafodd ei daro yn
ei wyneb gan y bêl.
Stopiodd redeg am
dipyn wedi hynny.

Ond daeth y clefyd pêl-droed nôl a dechreuodd gwrso'r bêl unwaith eto.

Erbyn hanner amser, doedd neb wedi llwyddo i sgorio gôl. Roedd y ddau dîm yn gyfartal.

Yna, yn yr ail hanner, roedd fy mrawd bach
hyd yn oed yn fwy awchus am y bêl! Câi'r
bêl ei phasio o un pen o'r cae i'r llall –
a byddai 'mrawd bach yn ei dilyn bob cam.

'CER

AMDANI SIÔN!

Gwaeddais. Roedd yn rhaid i'r tîm coch ennill!

Yn sydyn, dyma un o'r
bechgyn mwyaf yn y
tîm yn ennill y bêl ac
yn rhedeg i fyny'r cae.

Yn dynn ar ei sodlau roedd fy mrawd bach.
Dyma'r bachgen mawr yn pasio'r bêl i 'mrawd bach.

Roedd e'n syth o flaen y gôl.
'Saetha!' gwaeddodd Dad! Ro'n i eisiau
gweiddi hefyd, ond roedd y cyffro'n ormod!
Dyma 'mrawd bach yn cicio'r bêl . . .

. . . ac yn syrthio
yn ei hyd.

Ond fe roliodd y bêl yn ei blaen.

'GÔL!'

Dechreuodd Dad a finne neidio i fyny
ac i lawr a chofleidio'n gilydd.
Rhedeg o gwmpas y cae â'i freichiau
yn yr awyr wnaeth fy mrawd bach.

Hon oedd ei gôl gyntaf – ac
roedd hi'n gôl bwysig. Roedd
y Cochion wedi ennill y gêm!

Nawr mae 'mrawd bach yn
diodde'n waeth nag erioed
o'r clefyd pêl-droed.

Ond wyddoch chi beth?

Fore Sadwrn nesa, 'dw
inne'n mynd gydag e i'r
clwb i chwarae . . .